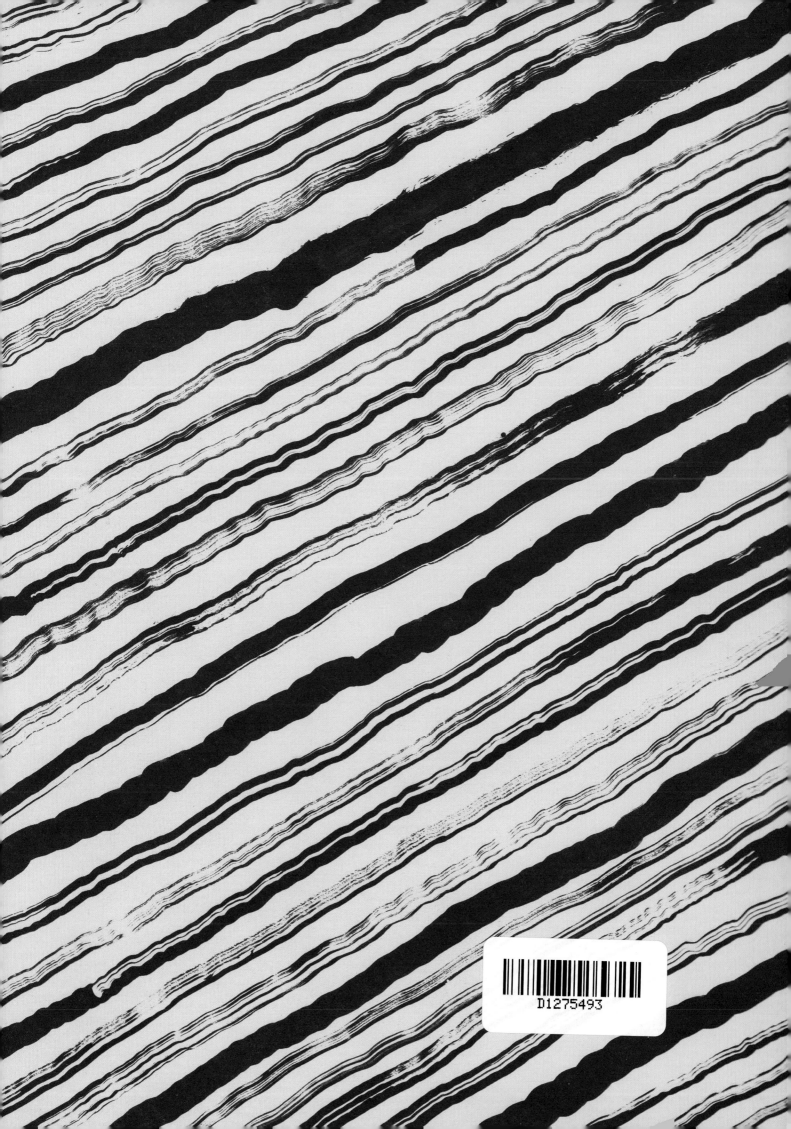

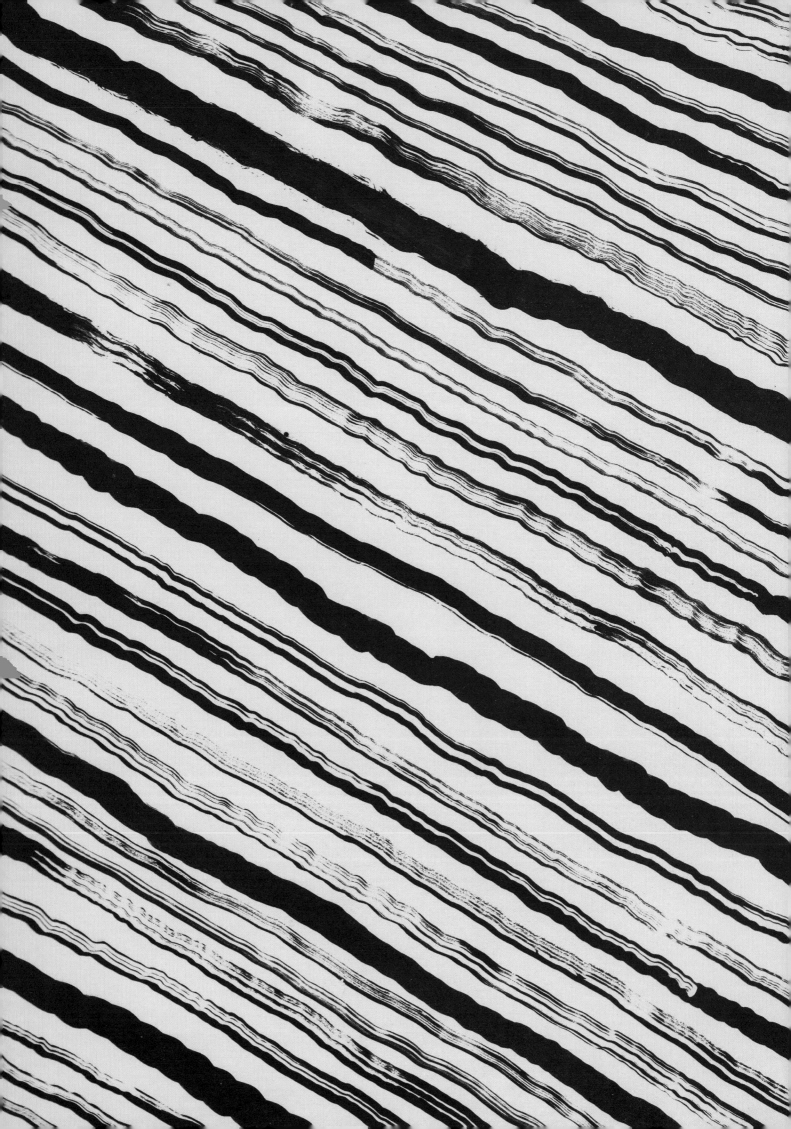

Giovanna Calvino

Marina Sagona

LA **Strega**

DENTRO DI ME

MONDADORI

Art Director: Fernando Ambrosi
Graphic designer: Anna Iacaccia
Illustrazione di copertina: Marina Sagona

www.ragazzimondadori.it

Prima edizione febbraio 2013
Stampato presso Elcograf S.p.A.
Via Mondadori, 15 - Verona
Printed in Italy
ISBN 978-88-04-61642-9

A Violette e Anna

Io ho una strega dentro di me, ed è una gran chiacchierona.
Sta sempre lì, pronta ad avvertirmi dei pericoli in agguato.
Mi scoraggia dal fare le cose e mi sgrida se non la sto a sentire.
Vorrei che si prendesse una vacanza, così, tanto per vedere com'è
stare senza di lei. Ma c'è poco da fare, lei non si allontana mai da me.

Io e mio padre siamo appena arrivati a casa della zia Pia.
Ovviamente, la strega è venuta con noi.
È da quando ero piccola che passo qui le mie estati.
Prima dormivo con mia cugina Viola, ma quest'anno
lei ha una stanza tutta sua e io mi ritrovo da sola
nella camera gialla.

La mia strega si mette subito a elencare i mostri che potrebbero
saltarmi sul letto appena mio papà avrà spento la luce.
Io mi tappo le orecchie e scappo sotto le lenzuola ma la sento
lo stesso, perché la sua voce viene da dentro.
Le dico: «Stai Zitta! Vai via e lasciami in pace.»
Ma lei alza la voce e mi parla di mostri ancora più terrificanti.
«Strega cattiva!» Io scoppio a piangere e non riesco a smettere finché
mio padre non viene a salvarmi e mi lascia dormire con la luce accesa.
Questo è l'unico modo per metterla a tacere.

La sera dopo, prima di andare a dormire, papà ispeziona
la mia camera, armato di rastrello e torcia elettrica. Mi assicura
che non gli sfuggirà un solo mostro. Infatti apre gli armadi, scuote
le tende, controlla dietro allo specchio, sotto il letto,
su per il caminetto e persino dentro la scatola delle matite.

Alla fine dichiara che la mia stanza è categoricamente demostrificata.

Nel frattempo la strega si è rannicchiata in un angolo e fa il muso.

L'avrò offesa? Ma se era stata lei a mettermi in guardia.

A volte non la capisco proprio.

Ad ogni modo, ora crollo dal sonno, ci penserò domani.

Sto per addormentarmi quando mi accorgo che devo fare la pipì,
e appena poso i piedi a terra, la strega scatta come una molla.
«Altolà! Ti sei rincitrullita? Dove credi di andare? Le stanze
in questa casa hanno le gambe, non ricordi? Sai bene che qui i bagni
non rimangono al loro posto. Quante volte te lo devo dire?»
Non c'è bisogno di ripeterlo, me lo ricordo da sola. Lo so com'è fatta
questa casa. Qui le stanze si spostano, non è come a casa mia. Il bagno
a volte è molto vicino ma altre volte tu lo cerchi e quello non c'è più.
Le stanze qui vanno a spasso, specialmente di notte. Però mi scappa.
Devo proprio andare. Vado.
«Stop! Rifletti un momento. E cosa conti di fare se il bagno
non ci fosse più, eh? Ci hai pensato a questo? Te lo dico io cosa farai:
continuerai a cercarlo e ti perderai nel labirinto dei corridoi,
ti allontanerai sempre di più dalla camera gialla e non sarai
più in grado di tornare indietro.»

«Ti prego, stai zitta, mi metti paura, io devo proprio andare.»

«Sì, e magari vai a finire nell'ala antica, quella dove
da millecentosettantamila anni gironzola il fantasma di Viola la Vecchia.»

Oh no. È finita. Ho il pigiama tutto bagnato e mi metto a piangere.

Entra in camera papà.

«Cosa c'è, amore mio? Erano secoli che non ti succedeva.
Dai, cambiamo il pigiama.»

Io sono fuori di me.

«Ma come faccio a sapere dove sta il bagno?»

«È qui accanto, la prima porta a destra. Aspetta, mi è venuta un'idea.
Ora leghiamo un nastro alla maniglia di camera tua e lo facciamo
arrivare fino al bagno, così basta che lo segui e non ti perderai più.»

Papà esce e torna con un nastro marrone che fissa al muro
con dei chiodini.

Il bagno adesso ha il guinzaglio e non può più scappare.

Ogni mattina andiamo in spiaggia. Oggi vedo un bambino nuovo
che sta facendo un castello di sabbia insieme a Viola. Un castello
così bello non l'ho mai visto fare a nessuno. Mi sa che questo bambino
lo voglio sposare.

«Ah ah ah! Ma lui non si sposerà mai con te. Sei troppo piccola!
E poi lui sa tutto e tu non sai niente. E poi non sei abbastanza carina»
dice la mia strega.

«Sì che lo sono.»

«No, non lo sei. Ricordi quando la zia Pia ti spiegò che per diventare
grande e bella dovevi finire il formaggio e i fagiolini e tu non li hai finiti?
Hai perso la tua occasione.»

«Li avevo finiti quasi tutti.»

«Lui ha troppo da fare, non lo vedi? Non andarlo a scocciare,
sennò si arrabbia, oppure, peggio ancora, non ti considera proprio,
come se non esistessi.
Perché in effetti tu non esisti per lui. Non ti ha nemmeno notata.
Lascia perdere. Smetti di fissarlo e vai a giocare per conto tuo.»

In quel momento il bambino alza la testa e mi vede.

«Perfetto!» dice guardando il secchiello quadrato che tengo in mano.

«Lo possiamo usare per le fortificazioni!»

E il bambino mi prende per il polso e mi trascina al suo cantiere.

Mia cugina Viola dice: «Guarda, fai come me. È facile.» E mi fa vedere come costruire una torre indistruttibile con la sabbia bagnata al punto giusto.

Il bambino mi dà istruzioni: «Io faccio le mura da questa parte e tu metti una torre di avvistamento là e un'altra dietro.»

Mi lascio prendere dal mio lavoro, che mi assorbe a tal punto da dimenticare tutto il resto. Non penso più alla strega e nemmeno al mio nuovo amore.

O forse a lui un pochino sì. Si chiama Theo.

Pompadour è nevrotico. Nevrotico significa che è molto delicato e abbaia in continuazione anche senza motivo. Quando Pompadour abbaia gli trema tutto il corpo.

Non lo incontro spesso, perché abita in un'altra parte della casa.

La zia Pia mi ha spiegato che mio papà è allergico. Allergico significa che si arrabbia quando Pompadour gli sale sui piedi e fa la pipì.

Una volta Pompadour mi ha fatto pipì sulle gambe. Ho sentito un calduccio che mi ha sorpreso, però non ero allergica.

Quella volta la zia ha detto: «Oh, mi dispiace!» E mi ha portata nel suo bagno che sa di lavanda per sciacquarmi le gambe.

Pompadour è un campione, anzi, un RE. Possiede tre corone.

Ha partecipato a tre concorsi di bellezza e li ha vinti tutti. Purtroppo le sue corone non mi entrano: ho le orecchie al posto sbagliato.

Mi confido con Theo: «Magari avessi un amico come Pompadour.
Ci potrei giocare tutti i giorni…»

«E allora? Prova a chiederne uno per il tuo compleanno.»

«Oh no.»

«Perché?»

«Perché la mia strega dice che è meglio non chiedere.»

«Hai una strega? Mitico! Me la presenti?» chiede Theo entusiasta.

«Sì!» dice Viola, entusiasta anche lei. «Invitiamola a prendere il tè.
Sarà l'ospite d'onore e faremo merenda in salotto anziché in cucina.
La mamma ci lascerà usare il servizio buono se le promettiamo
di non romperlo.»

Secondo me la strega non verrà perché diventa timida quando
c'è tanta gente.

Posso comunque provare a invitarla. Certo, è un po' strano:
le chiedo sempre di andare via e questa volta invece sono io
a cercarla! L'occasione richiede un messaggio formale.

Vado a prendere il computer di papà e le mando un'email.

A: LaStrega@dentro-di-me.it
Da: Me@questo-computer.it
Soggetto: Merenda

Egregia Signora Strega,
Spero che ci faccia l'onore di venire a prendere il tè con me,
Viola, Theo e Pompadour questo pomeriggio.
Con i miei più distinti saluti.

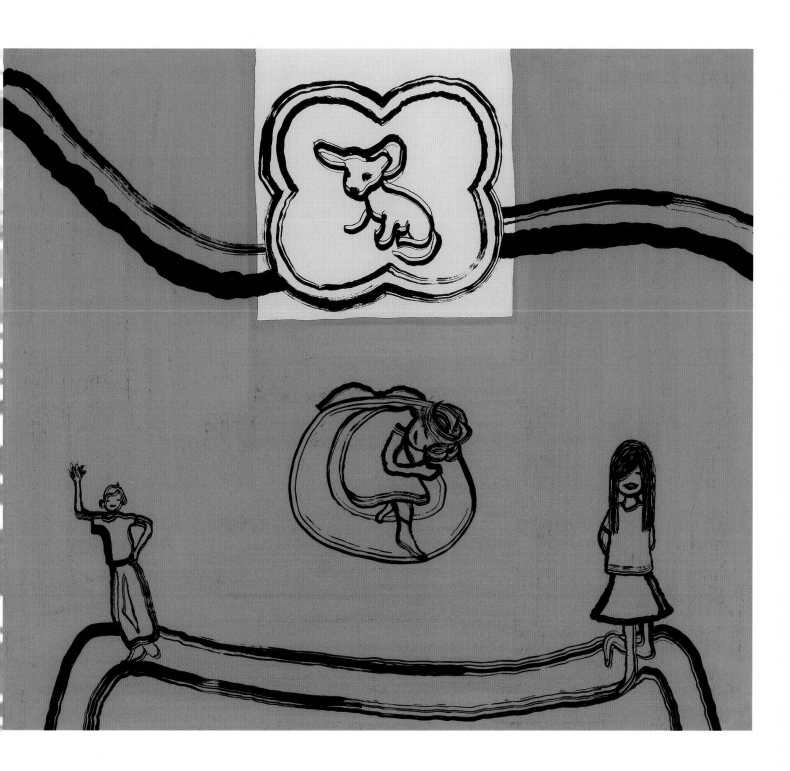

Sul tavolo ci sono quattro tazzine piene di latte e quattro piattini
con fette di torta al limone. E di colpo, ecco che c'è anche
la mia strega.

«Benvenuta!» le dico.

Lei per un momento mi guarda disorientata, poi nota il piattino
che le sto avvicinando e mi sorride come non l'avevo mai vista fare.

«È la pfima volta ghe sei gendile com me!» farfuglia con l'aria beata
e la bocca piena di torta.

«Scusi, cos'ha detto?» Mi chino verso di lei per sentirla meglio.
A vederla così da vicino non sembra più tanto grossa e minacciosa.
Anzi, sembra che stia rimpicciolendo davanti ai miei occhi.

«Di wingvazio mollo. Fono commoffa, ahem… commossa» mormora
lei mandando giù una seconda fetta, pescata dal mio piatto. Chi
avrebbe immaginato che fosse così golosa? La strega a questo punto
non dice più niente e continua decisamente a restringersi. Ormai è
grande come una bambola.

Mi avvicino ancora a lei, dato che le si è anche abbassata la voce,
come se venisse da lontano. Proprio allora cade a terra uno dei piatti
di porcellana, che si frantuma in mille pezzi. Noi ci mettiamo a pulire,
preoccupati di cosa dirà la zia, e ci dimentichiamo della strega,
che peraltro è sparita.

L'indomani in spiaggia c'è qualcosa di sbagliato. È Theo, che non c'è.
E non c'è nemmeno la sua bambinaia. Invece la mia strega è tornata
in piena forma.

«Oh, guarda guarda! Lui non c'è» sghignazza. «È partito senza
nemmeno salutarti! È andato via! Te l'avevo detto che non gli piacevi.
Ma tu non mi ascolti mai. Ti sta bene.»

Il giorno dopo arrivo alla spiaggia tutta speranzosa portando
il secchiello quadrato.

Ma di nuovo lui non c'è. Mi sento sola al mondo.

Ho il cuore rotto come il piattino dell'altro ieri.

«Ah! Ci speravi ancora?!»

«Avevi ragione tu, strega. Se n'è proprio andato.»

Interviene Viola: «Come mai non si vede più Theo? Andiamo
a chiedere alla mamma.»

«Oh, mi dispiace tesoro» risponde la zia Pia. «Avevo dimenticato
di dirvelo. Theo è caduto dalla bici e si è sbucciato un ginocchio.
Deve stare a casa per un paio di giorni perché non gli vada la sabbia
nella ferita. Potete andare a trovarlo questo pomeriggio se volete.»

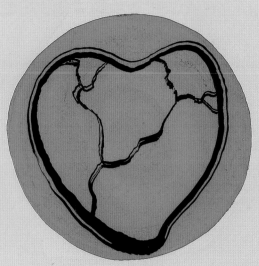

«Finalmente!» dice Theo quando ci vede arrivare. «Mi stavo ammuffendo. Perché non siete venute prima?»

«Mamma aveva dimenticato di dirci che ti eri fatto male» spiega Viola.

«Oh, non è nulla, solo un graffio. Venite, voglio farvi vedere la mia tenda indiana.»

Dentro la tenda si sta d'incanto. Vorrei essere una squaw!

La bambinaia di Theo ci porta dei bicchieri di latte al cioccolato e un soufflé di fragole.

«Squisito!» dichiara Viola. «E se ne offrissimo una fetta alla tua strega?»

Viola e Theo mi guardano pieni di speranza. Ma la strega non verrà, a meno che sia io a invitarla, allora dico a voce alta: «Cara strega, lo so che è all'ultimo minuto, ma saremmo così lieti se tu...»

Non faccio in tempo a finire che già ci dobbiamo stringere per farle posto nella tenda.

«Prego, gradisca...» dico io, e la strega arrossisce, a meno che sia la marmellata di fragole che già le copre le guance.

E anche questa volta comincia a rimpicciolire.

Ora è grande come un'aspirina e subito dopo si fa così minuscola che non la vedo più.

Con lei è scomparso anche il soufflé.

Non ha detto nemmeno una parola. Questo non era mai successo. Anch'io resto ammutolita dalla sorpresa.

Alla fine del pomeriggio, quando Viola e io salutiamo Theo, lui ci regala due scarabei rarissimi dalla sua collezione di insetti.

L'anno scorso alla fine dell'estate avevo imparato a galleggiare
senza salvagente. Oggi il mare è piatto e vorrei provare di nuovo.
Pompadour abbaia in segno di approvazione.
«Hai bisogno di un interprete?» interviene la strega con la voce
stridula dei vecchi tempi. «Non lo vedi che Pompadour
è terrorizzato per te?

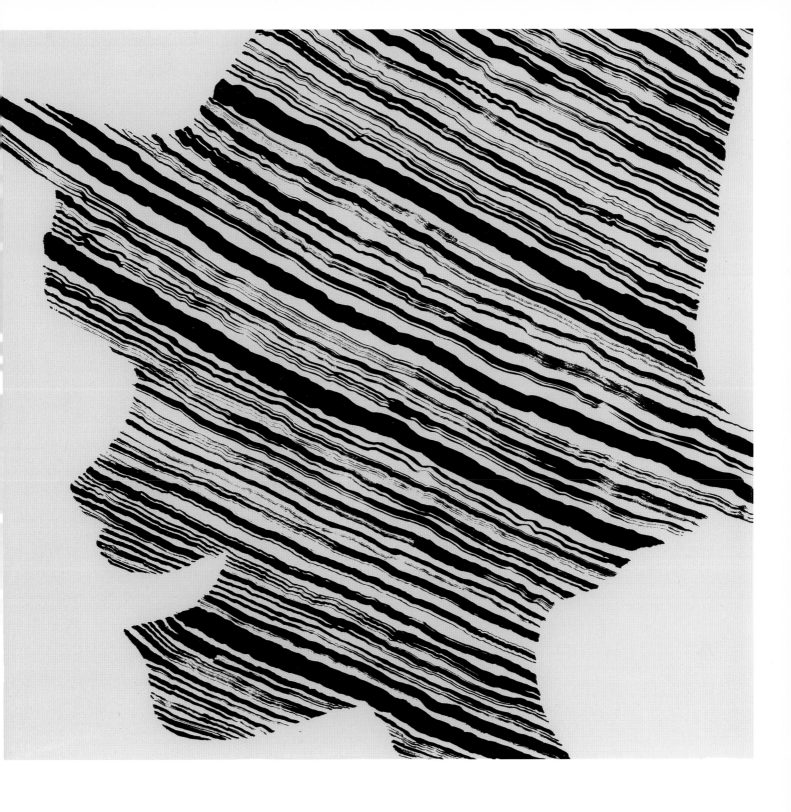

Dimmi che non sarai così scimunita da entrare senza salvagente.»
Mi dà proprio fastidio quando mi tratta da scimunita.
«Se entri, ti porterà via la corrente e i pescecani ti mangeranno
e la balena ti ingoierà e finirai su un'isola deserta senza nemmeno
un giocattolo. Non lo fare.»

Invece, a costo di farla infuriare, io le sorrido e mi butto in acqua.

La strega impallidisce, le scappa un grido:

«Non voglio morire affogata!»

«Tu? Ma cosa dici? Semmai sarò io ad affogare, non tu.»

«E che differenza c'è?!» fa lei, esasperata. «Se muori tu muoio anch'io, no?»

«E allora vieni con me, non aver paura!» rispondo, colta da un'improvvisa ispirazione. Afferro la strega per un braccio e mi rituffo senza darle il tempo di reagire.

L'acqua è profonda ma non troppo. Ci arriva fin sopra ai fianchi.

Noi tocchiamo il fondo, ci spingiamo in su coi piedi, pieghiamo le ginocchia all'insù e... ecco fatto: stiamo galleggiando! Mi giro verso la strega per tranquillizzarla ma non ce n'è bisogno, lei non c'è più.

Mio papà, che stava nuotando lì vicino, esclama: «Evviva! Guarda come galleggi! Ancora meglio dell'anno scorso!»

Quel pomeriggio la strega mi raggiunge all'ora del tè.

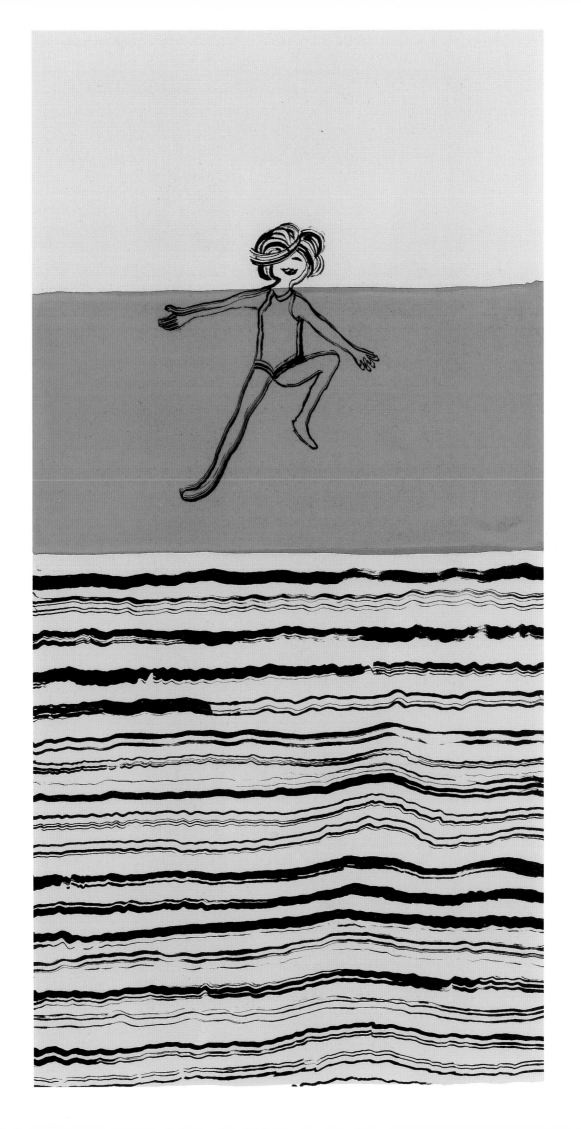

«Strega cara, ancora grazie per avermi detto quello che pensavi
stamani. C'è qualcos'altro?» le chiedo porgendole un vassoietto
di biscotti. Lei li fa sparire in un battito di ciglia, poi per un momento
sembra tentennare; apre la bocca e la richiude.

Che silenzio riposante! Io non la riconosco più negli ultimi tempi questa strega, è così cambiata.

In questo momento mi sembra più una bambina che una strega.
Anzi, per dirla tutta, sembra la mia gemella.

Ogni giorno io e la mia strega facciamo merenda insieme,
così sto cominciando a capire com'è fatta.

Lista di cose che ho capito sulla mia strega:

1 La mia strega è una testarda mai vista.

2 Non serve a niente cercare di cacciarla via o di farla tacere.

3 Invece scompare di sua volontà se sono io ad invitarla.

4 Però prima o poi torna sempre da me.

5 È inutile cercare di ragionare con lei.

6 La mia strega non è infallibile, a volte si sbaglia.

7 Ma rinfacciarglielo non serve.

8 Spesso lei ha più paura di me, è per questo che tuona e strilla.

9 Allora io la rassicuro.

10 Anche se ogni tanto mi costa un grande sforzo.

11 Invece Theo, Viola e Pompadour le hanno voluto bene da subito.

12 Questa è stata una bellissima vacanza.

Giovanna Calvino

Figlia di Italo Calvino, è nata a Roma e vive negli Stati Uniti da vent'anni. Ha conseguito
un dottorato in letteratura comparata all'università della Pennsylvania e insegna letteratura
italiana e francese alla New York University. Abita a New York insieme a sua figlia.
Questo è il suo primo libro.

Marina Sagona

È nata a Roma e vive a New York con la figlia Anna. I suoi disegni sono apparsi sul "New York Times" e il "New Yorker". Ha scritto e illustrato il libro per bambini *No. Anna e il cibo* e nel 2007 ha rappresentato l'Italia alla Biennale di Illustrazione di Bratislava.

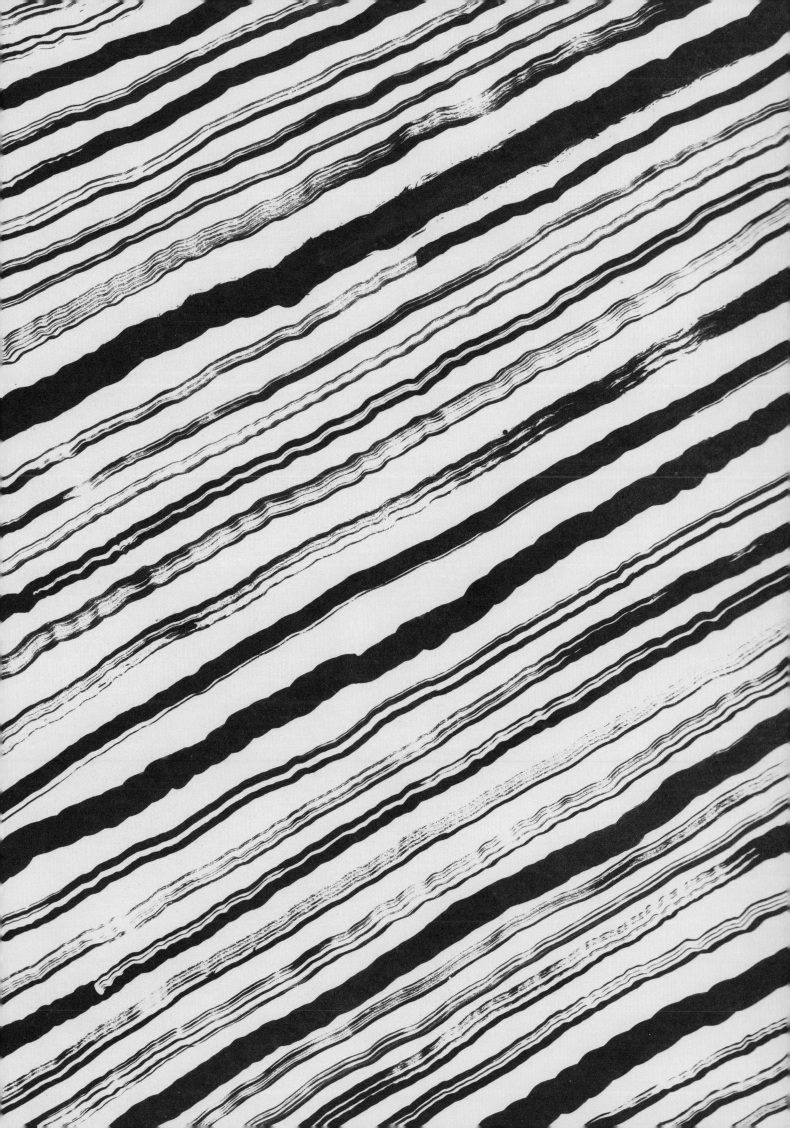

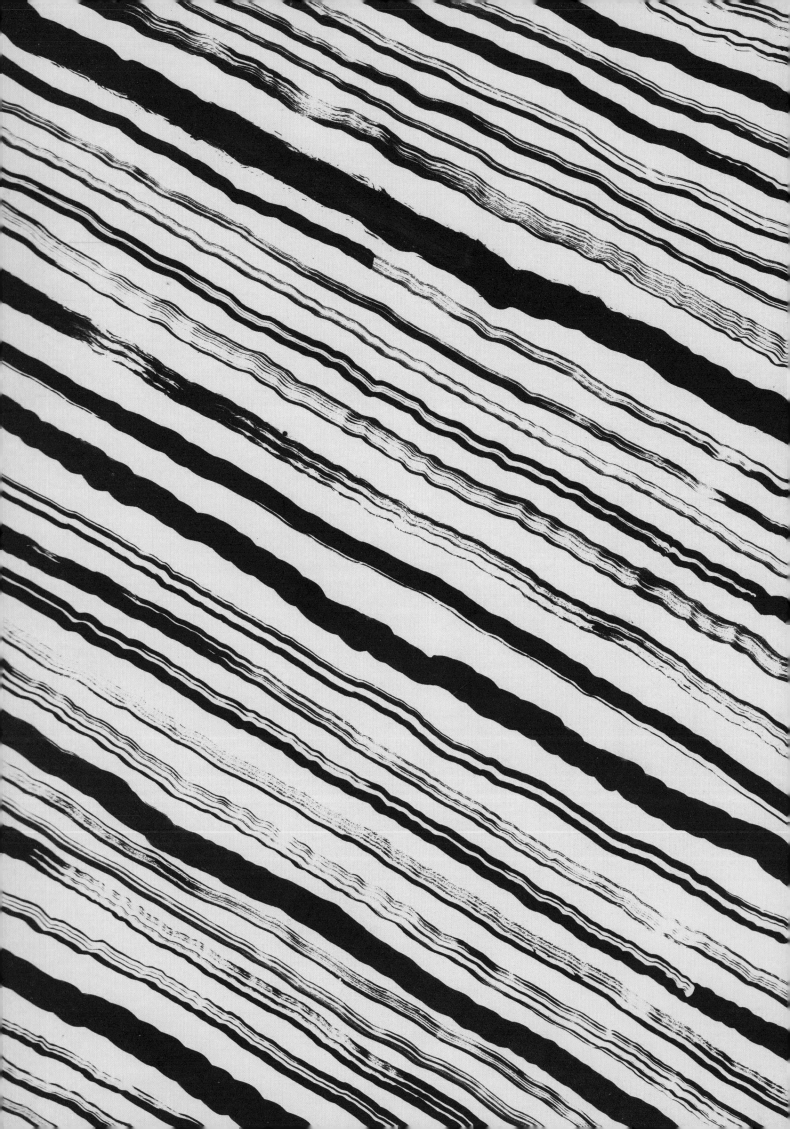